AF607341

Primera edición, octubre de 2022
Diseño, correción y maquetación: Fut i makak
Traducción: Teresa Galarza Ballester

Estonia: info@westindies.eu

ISBN: 978-9916-9685-8-1
Impreso en PodiPrint

Virginia Woolf

El arte de la biografía

El arte de la biografía

I

Hablamos del arte de la biografía, y de inmediato, pasamos a preguntarnos: ¿es la biografía un arte? Quizá la pregunta es tonta, y desde luego, poco generosa, considerando el gran placer que nos han proporcionado los biógrafos. No obstante, la cuestión se plantea con tanta frecuencia que debe de haber algo detrás. Ahí está el interrogante, proyectando su sombra en la página cada vez que abrimos una nueva biografía. Es como si hubiese algo mortífero en esa sombra, ya que, en definitiva, de tantas vidas escritas, ¡qué pocas sobreviven!

La razón de esta alta tasa de mortalidad, podría argumentar el biógrafo, es que, comparada con la poesía y la ficción, la biografía es un arte joven. El interés por nosotros mismos y por los demás es un desarrollo tardío de la mente humana. En Inglaterra, no fue hasta el siglo XVIII cuando la curiosidad por escribir sobre la vida privada de ciertas personas se materializó, y solo en el siglo XIX las biografías proliferaron. No ha habido más que tres grandes biógrafos —Johnson, Boswell y Lockhart—; la razón, se puede argumentar, es que ha habido poco tiempo; y el alegato de que el arte de la biografía ha tenido muy poco tiempo para asentarse y desarrollarse está ciertamente confirmado por los libros de texto. Por tentador que sea explorar el motivo —¿por qué la prosa surgió tantos siglos después de la poesía? O, lo que lo mismo, ¿por qué Chaucer precedió a Henry James?— es mejor dejar esa pregunta sin contestar y así pasar a la verdadera razón por la que faltan biografías que sean obras maestras, que es que el arte de la biografía es el más restringido de todas las artes.

Es fácilmente demostrable. Lo vemos, por ejemplo, en el prólogo que Smith escribió en su biografía de Jones, en donde decía aprovechar la oportunidad para dar las gracias a los viejos amigos que le prestaron documentación y, "por último, pero no por ello menos importante", a la señora Jones, la viuda, por esa ayuda "sin la cual", manifestó, "esta biografía no existiría". El novelista, en cambio, solo tiene que anotar en su prólogo: "Todos los personajes de este libro son ficticios". El novelista es libre; el biógrafo está atado.

Esto nos lleva, quizás, a plantearnos otra pregunta muy difícil, posiblemente irresoluble: ¿A qué nos referimos exactamente cuando decimos que un libro es una obra de arte? En primer lugar, hay que distinguir entre biografía y ficción —prueba de que difieren en la materia misma de la que están hechas—. La biografía se hace con la ayuda de amigos, de hechos; la ficción se crea sin más restricciones que las que el artista, por las razones que considere buenas, opta por obedecer. Esa es una diferencia, y hay buenas razones para pensar que en el pasado a los biógrafos les ha parecido no solo una mera diferencia, sino una diferencia muy cruel.

La viuda y los amigos hacían la tarea de supervisar. Supongamos, por ejemplo, que un hombre con ingenio, pero con muy mal humor, un día le tiró a su sirvienta las botas a la cabeza. Al escribir su biografía, su viuda bien podría decir: "Yo lo amaba, era el padre de mis hijos, y el público, que adora sus libros, no debe desilusionarse por ningún motivo. Omitamos este hecho". El biógrafo no tendría más remedio que obedecer. Por eso la mayoría de las biografías victorianas son como las figuras de cera de las antiguas procesiones fúnebres que ahora se conservan en la Abadía de Westminster: efigies que solo tienen un parecido superficial con el cuerpo que se encuentra en el ataúd.

Luego, a finales del siglo XIX, hubo un cambio. Por razones que no son fáciles de descubrir, las viudas se volvieron más abiertas de mente y el público más agudo de vista; la efigie ya no satisfacía la curiosidad ni convencía. El biógrafo, sin duda, ganó en libertad. Al menos podía insinuar que había cicatrices y surcos en el rostro del finado. El

Carlyle de Froude no es en modo alguno una máscara de cera pintada de rosa. Y siguiendo a Froude estaba Sir Edmund Gosse, quien se atrevió a decir que su propio padre era un ser humano falible. Y siguiendo a Edmund Gosse, en los primeros años del presente siglo, llegó Lytton Strachey.

II

La figura de Lytton Strachey es tan importante en la historia de la biografía que obliga a la reflexión. Sus tres famosos libros, *Victorianos Eminentes*, *la Reina Victoria*, y *Elizabeth y Essex*, tienen la capacidad de mostrar tanto lo que la biografía puede hacer como lo que no. Por tanto, surgen muchas respuestas posibles a la pregunta de si la biografía es un arte y, si no lo es, cuál es el porqué. Lytton Strachey nació como autor en un momento afortunado. En 1918, cuando hizo su primer intento al mismo tiempo que se imponían las nuevas libertades del género, la biografía era una forma de escritura que ofrecía grandes atractivos. Para un escritor como él, que deseaba escribir poesía u obras de teatro, pero dudaba de su poder creativo, la biografía parecía ofrecerle una alternativa prometedora. Porque por fin se podía decir la verdad sobre los muertos, y muchos de la época victoriana, algunos de ellos figuras notables, habían sido gravemente deformados a modo de efigie. Recrear estos personajes, mostrarlos como realmente fueron, era una tarea que exigía dotes análogas a las del poeta o del novelista, pero que no exigía esa capacidad inventiva que le faltaba.

Valió la pena intentarlo. La ira y el interés que despertaron sus breves estudios sobre victorianos eminentes demostraron que era capaz de hacer que Manning, Florence Nightingale, Gordon y el resto vivieran como no lo habían hecho desde la época en que realmente estuvieron vivos. Una vez más, fueron motivo de rumores y discusiones. ¿Gordon realmente bebía, o es solo una vil mentira? ¿Había recibido Florence Nightingale la Orden del Mérito en su dormitorio o en su salón? Agitó al público, a pesar de estar en mitad de una guerra, y despertó en la gente un interés asombroso en asuntos insignificantes. La ira y la risa se mezclaron, y las ediciones se multiplicaron.

Sin embargo, estos estudios fueron breves y con tendencia a la caricatura. Con la vida de las dos grandes reinas, Elizabeth y Victoria, intentó hacer una tarea mucho más ambiciosa. Nunca tuvo el género de la biografía tan justa oportunidad para mostrar lo que se podía hacer con ella, porque ahora la ponía a prueba un escritor capaz de hacer uso de todas las libertades conquistadas por el género; además, no tenía miedo; había probado su brillantez y aprendido el oficio. El resultado arroja mucha luz sobre la naturaleza de la biografía. ¿Quién puede dudar, después de leer los dos libros, uno tras otro, de que Victoria es un éxito triunfal y que Elizabeth, en comparación, es un fracaso? Al comparar ambos, no obstante, es como si el fracaso no fuera de Lytton Strachey, sino del arte de la biografía. En la de Victoria trató el género como un oficio y se sometió a sus limitaciones. En la de Elizabeth quiso hacer arte y se burló de las limitaciones de la biografía.

No obstante, debemos continuar preguntándonos cómo hemos llegado a esta conclusión y qué razones la sustentan. En primer lugar, está claro que las dos reinas presentan problemas muy diferentes para su biógrafo. Sobre la reina Victoria se sabía mucho. Todo lo que hacía, y casi todo lo que pensaba, era vox pópuli. Nunca se ha verificado a alguien más de cerca y autenticado con tanta exactitud como a la reina Victoria. El biógrafo no pudo inventarla, porque en todo momento tenía a mano algún documento para comprobar su aportación. Y, en la escritura de Victoria, Lytton Strachey se sometió a las condiciones. Se sirvió al máximo del poder de selección y relación del biógrafo, pero se mantuvo estrictamente dentro del mundo de los hechos. Cada declaración fue verificada; cada hecho fue autenticado. Y el resultado es una vida que, muy posiblemente, hará por la anciana Reina lo que Boswell hizo por el anciano fabricante de diccionarios. En el futuro, la Reina Victoria de Lytton Strachey será la Reina Victoria, al igual que el Johnson de Boswell es ahora el Dr. Johnson. Las otras versiones se desvanecerán y desaparecerán.

Fue una hazaña prodigiosa y, sin duda, una vez realizada, el autor estaba ansioso por seguir adelante. Allí estaba la reina Victoria, sólida, real, palpable. Pero indudablemente limitada. ¿No podría la biografía producir algo de la intensidad de la poesía, algo de la excitación del drama y, sin embargo, conservar también la peculiar virtud de pertenecer a los hechos con su sugerente realidad y su propia creatividad?

La reina Elizabeth parecía prestarse muy bien al experimento. Se sabía muy poco de ella. La sociedad en la que vivía era tan remota que los hábitos, los motivos e incluso las acciones de la gente de esa época estaban llenos de extrañeza y oscuridad. "¿Con qué arte vamos a infiltrarnos en esos espíritus extraños y en esos cuerpos aún más extraños? Cuanto más claramente lo percibimos, más remoto se vuelve ese singular universo", comentó Lytton Strachey en una de las primeras páginas. Sin embargo, evidentemente, había una "historia trágica" dormida, medio revelada, medio oculta, en la historia de la Reina y Essex. Todo parecía prestarse a la realización de un libro que combinara las ventajas de ambos mundos, que le diera al artista libertad para inventar, pero que pudiera contar con el apoyo de los hechos, un libro que no fuera solo una biografía sino también una obra de Arte.

Finalmente, la combinación resultó impracticable; la realidad y la ficción se negaron a mezclarse. Elizabeth nunca se volvió real como lo había sido la reina Victoria, y nunca se volvió ficticia como Cleopatra o Falstaff. La razón parece ser que se sabía muy poco de ella: al escritor se le instó a inventar; y sin embargo, algo se sabía: su invento fue comprobado. La Reina se mueve así en un mundo ambiguo, entre la realidad y la ficción, ni encarnada ni desencarnada. Hay una sensación de vacío y esfuerzo, de una tragedia que no tiene clímax, de personajes que se encuentran, pero no chocan.

Si este diagnóstico es cierto, nos vemos obligados a decir que el problema radica en la biografía misma. Impone condiciones, y esas condiciones radican en que el escritor debe basarse en hechos. Y por hecho, en biografía, nos referimos a hechos que pueden ser verificados por otras personas además del artista. Si inventa hechos como los inventa un artista —hechos que nadie más puede verificar— y trata de combinarlos con hechos de otro tipo, se destruyen entre sí.

El mismo Lytton Strachey se dio cuenta de la necesidad de esta condición en la Reina Victoria y cedió a ella instintivamente. "Los primeros cuarenta y dos años de la vida de la Reina", escribió, "están iluminados por una gran y variada cantidad de información auténtica. Con la muerte de Albert, desciende un velo". Y cuando con la muerte de Albert corrió un tupido velo y la información auténtica falló, el biógrafo reflejó lo mismo. "Debemos contentarnos con una relación breve y sumaria", escribió; y los últimos años se tratan brevemente. Por el contrario, toda la vida de Elizabeth transcurrió detrás de un velo mucho más espeso que los últimos años de Victoria. Y sin embargo, ignorando lo que él mismo sabía, Strachey pasó a escribir no solo una relación breve y resumida, sino un libro completo sobre esos espíritus extraños y cuerpos aún más extraños de los que falta información auténtica. Por su propio fundamento, el intento estaba condenado al fracaso.

III

Parece, entonces, que cuando el biógrafo se quejaba de estar atado por documentos, cartas y amigos que supervisan, estaba poniendo el dedo sobre un elemento necesario en la biografía, que es también una limitación necesaria. Porque el personaje inventado vive en un mundo libre donde los hechos son verificados por una sola persona: el artista mismo. Su autenticidad radica en la verdad de su propia visión. El mundo creado por esa visión es más raro, más intenso y más completo que el mundo que está hecho en gran parte de información auténtica suministrada por otras personas. Y debido a esta diferencia, los dos tipos de hechos no se mezclan; si se tocan, se destruyen entre ellos. Nadie, parece ser la conclusión, puede sacar lo mejor de ambos mundos; debes elegir, y debes acatar tu elección.

No obstante, aunque el fracaso de *Elizabeth y Essex* nos hace sacar esta conclusión, ese fracaso, debido a haber sido el resultado de un audaz experimento llevado a cabo con magnífica habilidad, abre el camino a nuevos hallazgos. Si hubiera vivido, sin duda Lytton Strachey habría explorado él mismo el nuevo camino abierto. Tal como desempeñó su trabajo, enseñó el camino por el que otros pueden avanzar. El biógrafo está atado por los hechos, eso es así; pero, si es así, tiene derecho a todos los hechos de que disponga. Si Jones le tiró unas botas en la cabeza a la sirvienta, tuvo una amante en Islington o lo encontraron borracho en una zanja después de una noche de orgía, el biógrafo debe ser libre de poder decirlo, al menos hasta donde lo permita la ley de la difamación y el sentimiento humano.

Estos hechos no son como los de la ciencia: una vez que se descubren, siempre son los mismos. Están sujetos a cambios de opinión, y las opiniones cambian con los tiempos. Lo que se pensaba que era un pecado, ahora se piensa, a la luz de los estudios hechos por los psicólogos, que tal vez sea una desgracia, tal vez una curiosidad o tal vez ni lo uno ni lo otro, sino una debilidad insignificante sin mayor importancia. El acento sobre el sexo ha cambiado en la memoria viva. Todo esto, en definitiva, conduce a la destrucción de una gran cantidad de materia muerta que aún oscurece las verdaderas características del rostro humano. Muchos de los títulos de los capítulos antiguos (vida en la universidad, matrimonio, carrera) se muestran como distinciones muy arbitrarias y artificiales. La corriente real de la existencia del héroe tomó, muy probablemente, un rumbo diferente.

El biógrafo debe adelantarse a los demás, como en las minas hace el minero con su canario, probando la atmósfera, detectando la falsedad, la irrealidad y la presencia de convenciones obsoletas. Su sentido de la verdad debe estar vivo y afinado. Por otra parte, dado que vivimos en una época en la que miles de cámaras apuntan, mediante periódicos, cartas y diarios, a cada personaje desde todos los ángulos, se debe estar preparado para admitir versiones contradictorias de la misma persona. La biografía ampliará su alcance colgando espejos en rincones extraños. Y de toda esta diversidad sacará, no obstante, no un tumulto de confusión, sino una unidad más rica. Y de nuevo, dado que se sabe tanto de lo que antes se desconocía, ahora surge inevitablemente la pregunta de si solo se deben registrar las vidas de los grandes hombres. ¿No es digno de una biografía cualquiera que haya vivido una vida y dejado constancia de esa vida, tanto de los fracasos como de los éxitos; personas humildes y hombres ilustres? ¿Y qué es la grandeza? ¿Y qué es la pequeñez? Debemos revisar nuestro estándar del mérito y decidir quiénes son los nuevos héroes a los que admirar.

IV

La biografía, por lo tanto, está solo al comienzo de su andadura; tiene una vida larga y activa por delante, de eso podemos estar seguros; una vida llena de dificultades, peligros y trabajo duro. Sin embargo, también podemos estar seguros de que es una vida diferente de la vida de la poesía y la ficción, una vida vivida con un grado menor de tensión. Y por eso sus resultados no están destinados a la inmortalidad que, de vez en cuando, el artista alcanza con sus creaciones.

Ya hay alguna prueba de esto: el Dr. Johnson creado por Boswell no vivirá tanto como el Falstaff creado por Shakespeare y podemos estar seguros de que Micawber y Miss Bates sobrevivirán a Sir Walter Scott de Lockhart y a Victoria de Lytton Strachey. Porque están hechos de materia más resistente. La imaginación del artista en su forma más intensa desecha lo perecedero y construye con lo duradero; pero el biógrafo debe aceptar lo perecedero, construir con ello, incrustarlo en el tejido mismo de su obra. Mucho perecerá; poco vivirá. Y así llegamos a la conclusión de que es un artesano, no un artista; y su obra no es una obra de arte, sino algo intermedio.

Sin embargo, en ese nivel inferior, el trabajo del biógrafo es invaluable; no se lo agradecemos lo suficiente. Porque somos incapaces de vivir enteramente en el intenso mundo de la imaginación. La imaginación es una facultad que pronto se cansa y necesita descanso y refrigerio. Pero para una imaginación cansada, el alimento adecuado no es la poesía inferior o la ficción menor —de hecho, la embota y la corrompe—, sino el hecho sobrio, esa "información auténtica" a partir de la cual, como nos ha mostrado Lytton Strachey, se hace una buena biografía. ¿Cuándo y dónde vivió el verdadero hombre?¿Llevaba botas con cordones? ¿Quiénes eran sus tías y sus amigos? ¿Cómo se sonaba la nariz? ¿A quién amaba y cómo? ¿Murió en su cama como un cristiano, o...?

Al contarnos los hechos verdaderos, al separar lo pequeño de lo grande y moldear el todo para que percibamos el contorno, el biógrafo hace más por estimular la imaginación que cualquier poeta o novelista, a excepción del más grande. Pocos poetas y novelistas son capaces de ese alto grado de tensión que nos da la realidad, pero casi cualquier biógrafo, si respeta los hechos, puede darnos mucho más que un simple hecho que añadir en nuestra colección. Puede darnos el hecho creativo; el hecho fértil; el hecho que sugiere y engendra. De esto también hay algunas pruebas. Con frecuencia, cuando se lee una biografía y se la desecha, pero a la vez alguna escena resulta brillante, alguna figura de la biografía sigue viva en las profundidades de la mente y nos hace, cuando leemos un poema o una novela, sentir un sobresalto de reconocimiento, como si recordáramos algo que ya supiéramos de antes.

No uno de nosotros
Reseña de *Shelley; su vida y obra*, de Walter Edwin Peck, 1927

El profesor Peck no se justifica por haber escrito una nueva biografía de Shelley, ni ha dado ninguna razón para hacer lo que ya se ha hecho otras veces tan minuciosamente; ni siquiera son de gran importancia los nuevos documentos que han llegado a sus manos. Sin embargo, nadie está descontento con los dos nuevos tomos que ha escrito: más gruesos, ilustrados, bien cuidados, y hechos a conciencia, están dedicados a la narración de una historia que todos sabemos de memoria. Hay algunas historias que cada generación tiene que volver a contar, no porque tengamos algo nuevo que aportar, sino porque alguna extraña cualidad las convierte no solo en la historia de Shelley, sino también en la nuestra. Eminente y duradera destaca en el horizonte, una marca más allá de la cual navegamos, que se mueve a medida que nos movemos y, sin embargo, sigue siendo la misma.

Se han hecho públicos muchos de estos cambios de actitud hacia Shelley. Durante su propia vida, todas las personas, excepto cinco, lo consideraron, en palabras de Shelley, "un raro prodigio del crimen y la contaminación, cuya mirada incluso podía infectar". Sesenta años después, fue canonizado por Edward Dowden. Pero Matthew Arnold lo redujo, nuevamente, a la escala humana ordinaria.

Cuántos biógrafos y ensayistas lo han absuelto o sentenciado desde entonces, es imposible saberlo. Y ahora nos toca a nosotros decidir qué clase de hombre era Shelley; de modo que leemos los volúmenes del profesor Peck, no para descubrir nuevos hechos, sino para que la imagen de Shelley destaque más nítidamente contra nuestra propia imagen cambiante.

Si tal es nuestro propósito, nunca hubo un biógrafo que diera a sus lectores mayor oportunidad para cumplirlo que el profesor Peck. Es singularmente desapasionado y, sin embargo, no insípido. Tiene opiniones, pero no las impone. Su actitud hacia Shelley es amable y no condescendiente. No se entusiasma, pero tampoco regaña. Solo hay dos puntos que parece alegar con alguna parcialidad personal; uno, que Harriet era una mujer agraviada; el otro, que la importancia política de la poesía de Shelley no se considera lo suficientemente alta. Quizás podríamos ahorrarnos el análisis cuidadoso de los poemas, solo necesitamos saber cuántas veces se mencionan montañas y acantilados en las obras de Shelley.

Como cronista de gran erudición y lucidez, el profesor Peck es admirable. "Aquí", parece decir, "está todo lo que realmente se sabe sobre la vida de Shelley". En octubre hizo esto, en noviembre hizo lo otro; después fue cuando escribió este poema y fue allí donde conoció a ese amigo. Y, moldeando la enorme masa de papeles de Shelley con diestros dedos, se las ingenia con tacto para incrustar fechas y hechos en los sentimientos, en los comentarios, en lo que escribió Shelley, en lo que escribió Mary, en lo que otras personas escribieron sobre ellos, de modo que parecemos estar recorriendo toda la vida de Shelley y hacernos la ilusión de que, esta vez, estamos viendo a Shelley no a través de las lentes rosadas o las lentes lívidas que el sentimiento y la mojigatería han fijado en las narices de nuestros precursores, sino, claramente, tal como era. En esto, por supuesto, nos equivocamos; usamos gafas, aunque no nos demos cuenta. Pero la ilusión de ver a Shelley es lo suficientemente estimulante como para tentarnos mientras dure.

Cada cual tiene una imagen del aspecto físico de Shelley. Era un muchacho delgado, de huesos grandes, pecoso, con grandes ojos azules, bastante saltones. Su vestimenta era descuidada, pero distinguida; "llevaba la ropa de un caballero". Era cortés y gentil en sus modales, pero hablaba con voz aguda y áspera, y pronto se emocionaba. Nadie podía pasar por alto la presencia de un personaje tan discordante en la habitación, y su presencia era extrañamente inquietante. No era simplemente porque pudiera hacer algo extremo, sino porque podía, de alguna manera, hacer que cualquier persona resultara absurda junto a él. Desde los primeros días en que se mostró en público, la gente normal notó su anormalidad e hizo todo lo posible, siguiendo un oscuro instinto de autoconservación, para que Shelley siguiera las reglas o abandonara la sociedad de los respetables. En Eton lo llamaban "loco Shelley" y le tiraban bolas de barro. En Oxford derramó ácido sobre la alfombra de su tutor, "una nueva compra que destruyó por completo"; y por otras y más graves diferencias de opinión fue expulsado.

Después, se convirtió en el campeón de todas las causas perdidas. Cuando no de un editor, de la nación irlandesa, o de tres pobres hilanderas condenadas por traición, o de un rebaño de ovejas abandonadas. Solteronas de todo tipo encontraron en él un líder. Así, los primeros años de su juventud los invirtió en meter panfletos sediciosos en las capuchas de los abrigos de las ancianas; en disparar a las ovejas sarnosas para sacarlas de su miseria; en recaudar dinero; en la redacción de folletos; en remar hacia el mar y arrojar botellas al agua... Un día, el Secretario del Ayuntamiento de Barnstable abrió una de esas botellas y descubrió que contenía un papel sedicioso, "cuyo contenido el alcalde aún no ha podido verificar". En todas estas andanzas y peregrinaciones lo acompañaba una mujer, o dos, que o bien tenían niños pequeños en el pecho o esperaban ser madres en breve. Uno de ellos, se dice, no pudo contenerse y se echó a reír cuando vio caer el folleto en la capucha de una anciana.

El perfil es bastante familiar; lo único que cambia

es nuestra actitud hacia él. El Shelley excitable, intransigente y ateo, que tira panfletos al mar, porque cree que va a reformar el mundo, se ha convertido en una figura tirando a heroica y encantadora. Por otro lado, el mundo en el que luchó Shelley se ha vuelto ridículo. De alguna manera, el niño desordenado y de voz chillona, con su violencia y su rareza, ha logrado hacer que Eton y Oxford, el Gobierno inglés, el Secretario del Ayuntamiento y el Alcalde de Barnstable, así como los caballeros del campo de Sussex e innumerables personas oscuras a las que podríamos llamar genéricamente (en honor a los censores de Mary) los Booth y los Baxter, que todos parezcan absurdos.

Desafortunadamente, aunque uno puede hacer que las instituciones parezcan ridículas, es extremadamente difícil hacer que los hombres y mujeres parezcan reducirse a algo tan simple como el absurdo. Las relaciones humanas son demasiado complejas; la naturaleza humana es demasiado sutil. Así, el contacto con Shelley convirtió a Harriet Westbrook, que debería haber sido la madre feliz de una familia común y corriente, en una mujer confusa y desconcertada. Quería reformar el mundo y, al mismo tiempo, poseer un carruaje y sombreros; finalmente se ahogó en su propia desesperación una mañana de invierno. Y respecto a Mary y la señorita Hitchener, Godwin y Claire, Hogg y Emilia Viviani, Sophia Stacey y Jane Williams, tal vez no tengan nada de trágico, sino de ridículo, en realidad. Aun así, su asociación con Shelley no conduce a ninguna conclusión clara y triunfal. ¿Tenía razón? ¿Tenían razón? Su relación es turbia y oscura; desconcertante; burlona.

A una le recuerda la vida privada de otro hombre cuyo poder de convicción era aún mayor que el de Shelley, y con más capacidad para la destrucción de la felicidad humana. Una recuerda a Tolstoi y su esposa. La alianza de la fe intensa del genio con la incredulidad tranquila o el compromiso de la humanidad ordinaria debe, al parecer, conducir al desastre de un tipo persistente y mezquino en el que se revela el peor lado de ambas naturalezas. Pero mientras que Tolstoi podría haber forjado su filosofía solo o en un monasterio, Shelley fue impulsado por algo flexible y entusiasta en su temperamento para enredarse con hombres y mujeres. "Creo que uno siempre está enamorado de una cosa u otra", escribió. Pero esta "una cosa u otra", además de albergarse en la poesía y la metafísica y en el bien de la sociedad en general, tenía su morada en los cuerpos de los seres humanos del sexo opuesto.

Vio "la semejanza de lo que quizás sea eterno" en los ojos de Mary. Luego esa eternidad se desvaneció, pero apareció en los ojos de Emilia; y después se manifestó en Sophia Stacey o en Jane Williams.

¿Qué debe hacer el amante cuando la voluntad del fuego fatuo cambia de lugar? Uno debe continuar, dijo Shelley, hasta que le detengan. ¿Y qué hace parar a uno? No, si uno es Shelley, las convenciones y supersticiones que atan a la más baja humanidad; no los Booths y los Baxter. Oxford podría expulsarlo, Inglaterra podría exiliarlo, pero a pesar del desastre y la burla, él buscó la "semejanza de lo que quizás sea eterno"; y siguió estando enamorado.

Pero como el objeto de su amor era una criatura híbrida, mitad humana, mitad divina, su amor tenía la misma naturaleza ambigua. Había algo inhumano en Shelley. Godwin, en respuesta a la primera carta de Shelley, lo notó. Se quejó del "carácter generalizador" del estilo de Shelley que, dijo, tenía el efecto de convertirlo en "un personaje no individual". Mary Shelley, reflexionando sobre su vida cuando Shelley estaba ya muerto, exclamó: "¡Qué vida tan extraña ha sido la mía. El amor, la juventud, el miedo y la valentía me sacaron temprano de la rutina regular de la vida y me uní a este ser que no era uno de los nuestros y fue perseguido por innumerables miserias y molestias, en todas las cuales yo participaba!". Shelley "no era uno de los nuestros". Era, incluso para su esposa, un "ser", alguien que iba y venía como un fantasma en busca de lo eterno. De lo transitorio, tenía poca noción. Las alegrías y las penas, con cuyos hilos se teje el cálido devenir de la vida privada en el que vive la mayoría de los hombres, no tenían poder sobre él. Una extraña formalidad endurece sus cartas; no hay intimidad ni diversión.

Al mismo tiempo, es perfectamente cierto (y el profesor Peck hace bien en subrayarlo) que Shelley amaba a la humanidad cuando no amaba a una tal Harriet o a Mary. El sentido de la miseria de los seres humanos ardía en él tan persistentemente como su sentido de la belleza divina de la naturaleza. Amaba las nubes y las montañas y los ríos más apasionadamente que cualquier otro hombre; pero al pie de la montaña siempre veía una cabaña en ruinas; criminales encadenados quitando la maleza del pavimento de la plaza de San Pedro; una anciana temblando de fiebre a orillas del hermoso Támesis. Entonces dejaba a un lado su escritura, desechaba sus sueños y se marchaba a curar a los pobres con medicinas o con sopa. Inevitablemente se le acercó, con el paso del tiempo, la más extraña variedad de jubilados y protegidos. Se hizo cargo de mujeres abandonadas y de hijos ajenos; pagó las deudas de otras personas, les planeó los viajes, y arregló sus relaciones. El más etéreo de los poetas era el más práctico de los hombres.

Por tanto, dice el profesor Peck, de esta unión de poesía y humanidad surge el verdadero valor de la poesía de Shelley. Era la poesía de un hombre que no era un "poeta puro", sino un poeta apasionado por corregir los errores de los hombres. Si hubiera vivido, habría reconciliado la poesía con "la necesidad de ciertas reformas inmediatas en la política, la sociedad y el gobierno". Murió demasiado joven para poder hacer llegar su mensaje; y la dificultad de su poesía surge del hecho de que el conflicto entre poesía y política ruge en ella sin resolver. Puede que no estemos de acuerdo con la definición del profesor Peck, pero solo tenemos que leer de nuevo a Shelley para encontrarnos con la dificultad de la que habla. Esto se debe, en parte, al hecho desconcertante de haber pensado que su poesía era muy buena y que nos parezca realmente pobre. ¿Cómo podemos explicar el hecho de que lo recordemos como a un gran poeta, pero que cuando lo leemos nos parezca malo?

La explicación parece ser que no era un "poeta puro". No concentró su significado en un pequeño espacio; no hay nada en la poesía de Shelley que sea tan rico y compacto como las odas de Keats. Su gusto podría ser sentimental; tenía todos los vicios de los que escriben canciones; era irreal, tenso, verboso. Los versos que el profesor Peck cita con admiración: "¿Buenas noches? ¡No, amor! La noche es mala", son prueba de ello. Pero si dejamos el lirismo a un lado, con toda su exquisita belleza, y nos adentramos en uno de los poemas más extensos, *Epipsychidion* o *Prometheus Unbound*, donde los errores tienen espacio para pasar inadvertidos, nos convencemos de su grandeza. Y entonces nos enfrentamos a una dificultad. Porque si se nos pidiera extraer la enseñanza de estos poemas, estaríamos perdidos. Difícilmente podemos decir qué reforma en "política, sociedad y gobierno" defienden. Su grandeza parece residir en nada tan definido como una filosofía, en nada tan puro como la perfección de la expresión. Se encuentra más bien en un estado de ser. Salimos a través de madejas de nubes y ráfagas de torbellino a un espacio de pura calma, de serenidad intensa y sin viento. De manera defendible o no, hay una diferencia: *The Skylark*, la *Ode To The West Wind* son poemas; el *Prometheus*, el *Epipsychidion* son poesía.

Si trazamos nuestra relación con Shelley desde el terreno ventajoso de 1927, encontraremos que su Inglaterra es un lugar bárbaro donde encarcelan a los periodistas por faltar al respeto al Príncipe Regente, condenan a los hombres a la guillotina por publicar ataques contra las Escrituras, ejecutan a las hilanderas por sospecha de traición y, sin dar ellos mismos prueba de sus estrictas creencias religiosas, expulsan a un muchacho de Oxford por confesar su ateísmo. Políticamente, entonces, la Inglaterra de Shelley ha retrocedido, y su lucha, por valiente que sea, parece ocurrir con monstruos un poco anticuados y, por lo tanto, algo ridículos. Pero en privado está mucho más cerca de nosotros. Porque junto a la batalla pública se libra, de generación en generación, otra lucha tan importante como la otra, aunque se hable mucho menos de ella. El esposo pelea con la esposa y el hijo con el padre. Los pobres luchan contra los ricos y el patrón lucha contra los empleados. Hay un esfuerzo perpetuo, por un lado, para hacer todas estas relaciones más razonables, menos dolorosas y menos serviles; por otro, se trata de que nada cambie. Shelley, como hijo y como esposo, luchó por la razón y la libertad en la vida privada, y sus experimentos, por desastrosos que fueran en muchos sentidos, nos han ayudado a abordar con mayor sinceridad y felicidad nuestros propios conflictos. Los Sir Timothy de Sussex ya no son tan rápidos en despedir a sus hijos con un chelín; los Booth y los Baxter ya no están tan seguros de que una mujer soltera sea el demonio absoluto. La comprensión de la convención sobre la vida privada ya no es tan tosca ni tan insensible debido a los éxitos y fracasos de Shelley.

Así que vemos a Shelley a través de nuestro particular par de anteojos: un niño estridente, encantador y anguloso; un campeón cabalgando contra las fuerzas de la superstición y la brutalidad con coraje heroico; al mismo tiempo ciego, desconsiderado, obtuso a los sentimientos de otras personas. Embelesado en su extraordinaria visión, ascendiendo a las mismas alturas de la existencia. Parece, como dijo Mary, "un ser", "no uno de de los nuestros", sino alguien mejor, de más altura, y distante y apartado. De repente, llaman a la puerta; los Hunt y los siete niños están en Livorno; Lord Byron ha sido grosero con ellos; a Hunt le ha afectado. Shelley debe marcharse de inmediato para asegurarse de que estén cómodos. Y, despertándose de su éxtasis, Shelley se va.

El hombre en la verja

El hombre era Coleridge tal como lo vio De Quincey, de pie en la verja de la entrada. Es vano poner el apellido Coleridge al principio de una página: Coleridge el innumerable, el mutable, el atmosférico; Coleridge el que forma parte de Wordsworth, Keats y Shelley; de su época y de la nuestra; Coleridge, cuyas palabras escritas llenan cientos de páginas y desbordan innumerables márgenes; cuyas palabras aún resuenan, de modo que cuando entramos en su radio de alcance no parece un hombre, sino un enjambre, una nube, un zumbido de palabras, moviéndose de un lado a otro, apoyándose, estremeciéndose y colgado suspendido. Tan pocas de estas cosas pueden quedar atrapadas en la red de cualquier lector que mucho antes de que nos aturdamos en el laberinto de lo que llamamos Coleridge tenemos una imagen clara ante nosotros: la imagen de un hombre quieto delante de una verja:

... su persona era ancha y llena, y tendía incluso a la corpulencia, su tez era blanca ... sus ojos eran grandes y suaves en su expresión; y fue debido a la apariencia peculiar de neblina o ensoñación que se mezclaba con su luz, que reconocí mi objeto.

Eso fue en 1807. Coleridge ya era entonces incapaz de moverse. El opio de Kendal le había robado la voluntad. "Me pides que me despierte, ve, pide a un hombre paralítico de brazos que se los frote enérgicamente". Los brazos le colgaban flácidos en los costados; era incapaz de levantarlos. Sin embargo, la enfermedad que le paralizó la voluntad le dejó libre la mente. En la medida en que se volvió incapaz de actuar, se volvió capaz de sentir. Mientras estaba de pie en la verja, su vasta extensión lo convertía en objetivo pasivo para innumerables flechas, todas ellas afiladas, muchas de ellas envenenadas. Confesar, analizar, describir era el único alivio de su espantosa tortura, el único medio de escape del prisionero.

Así se forma, en los volúmenes de las cartas de Coleridge, una inmensa masa de materia temblorosa, como si un enjambre se hubiera adherido a una rama y permaneciera ahí colgado. Las oraciones ruedan como gotas por un cristal, caen recogiendo otras gotas, y cuando llegan al fondo, el cristal se ha manchado. Un gran novelista, preferentemente Dickens, podría haber formado a partir de este enjambre y esta difusión a un personaje prodigioso, inmortal. Dickens, si se le hubiera inducido a escuchar, habría pensado, tal vez, esto:

Profundamente herido por las palabras tan irrespetuosas usadas con respecto a mi persona, y luchado como lo he hecho a lo largo de la vida, aún mantengo un carácter y conexiones que no son indignas de mi Familia.

O quizá:

La peor parte de los cargos era que había sido lo bastante imprudente y, en segundo lugar, lo suficientemente grosero y poco delicado como para enviar al sirviente de un caballero que se encontraba en su propia casa a una taberna a por una botella de brandy...

O:

¡Qué alegría sería para usted o para mí, señorita Betham! Conocer a un Milton en un estado futuro.

Y también, al aceptar un préstamo:

Apenas puedo recobrarme lo suficiente como para comunicarle: primero, que recibo esta prueba de su bondad filial con sentimientos no indignos de la misma... pero que, cuando (si alguna vez) mis circunstancias mejoren, debe permitirme recordarle que lo que fue, y siempre bajo todas las condiciones de la fortuna, se sintió como un regalo, se ha convertido en un préstamo y, por último, que debes permitirme tenerte como un amigo frecuente en cuyas visitas puedo confiar tan a menudo como sea conveniente...

¡La misma voz (drásticamente acortada) del mismo Micawber!

Pero hay una diferencia. Porque este Micawber sabe que él es Micawber. Tiene un espejo en la mano. Es un hombre con una conciencia de sí mismo exagerada, dotado de un asombroso poder de autoanálisis. Dickens necesitaría ser un duplicado de Henry James, triplicado de Proust, para transmitir la complejidad y el conflicto de un Pecksniff que desprecia su propia hipocresía, de un Micawber que es humillado por su propia humillación. Está hecho de tal manera que puede oír el crepitar de una hoja y, sin embargo, permanece obtuso ante los reclamos de esposa e hijo. Una carta sin abrir le ocasiona gotas de sudor en la frente; sin embargo, levantar la pluma y responder está más allá de su poder. El Dickens Coleridge y el Henry James Coleridge lo destrozan perpetuamente. Uno envía subrepticiamente al Sr. Dunn, el químico, a por una botella de opio, mientras el otro analiza los motivos que han hecho de esta hipocresía una infinidad de finos jirones.

Así, a menudo, al leer los abundantes garabatos de las cartas de Highgate de 1820, parece que estemos leyendo notas para una obra tardía de Henry James. Es el precursor de todos los que han tratado de revelar la complejidad y dobleces más débiles del alma humana. Las grandes frases metidas entre paréntesis, expandidas con guion tras guion, rompen sus muros bajo la tensión de incluir y calificar y sugerir todo lo que Coleridge siente, teme y vislumbra. A menudo es prolijo al borde de la incoherencia, y su significado se diluye y se desvanece hasta convertirse en una espiral en el horizonte de la mente. Sin embargo, en nuestra época de mutismo, hay alegría en este abandono temerario a la gloria de las palabras. Engatusadas, acariciadas, arrojadas a puñados, las palabras producen esas frases fulgurantes que cuelgan como frutos maduros en el árbol de su inmensa volubilidad. "Ceño-faldón, zapato-contemplativo, extraño"; ahí está Hazlitt. Del Dr. Darwin: "Era como una paloma que recoge guisantes y luego los vacía con adiciones de excrementos". Cualquier cosa puede salir disparada de esas grandes fauces; la crítica más sutil, la broma más salvaje, el estado exacto de sus intestinos.

Usa palabras para expresar las crepitaciones de su susceptibilidad aprensiva. Sirven como cortina de humo entre él y la amenaza del mundo real. ¿Qué enemigo se acerca? Nada visible a simple vista. Y, sin embargo, ¡cómo tiembla y se estremece! Hartley, "pobre Hartley... al rehuir el dolor momentáneo de decir la pura verdad, una verdad que no es desacreditable ni para él ni para mí, ha infligido varias veces un dolor y una confusión agitadora"—¿por qué incumplimiento de la moralidad o abandono del deber? —"trayendo inesperadamente al Sr. Bourton los domingos con la intención de cenar aquí”. ¿Eso es todo? Ah, pero un cuerpo enfermo siente la puñalada de la angustia si solo se pisa un grano. La angustia atraviesa cada fibra de su ser. ¿No se ha retraído él mismo a menudo ante el dolor momentáneo de decir la pura verdad? ¿Por qué no tiene un hogar que ofrecer a su hijo, una mesa a la que Hartley pueda llevar a sus amigos sin invitación? ¿Por qué vive como un extraño en la casa de unos amigos y (en la actualidad) no puede cumplir con su parte de los gastos de mantenimiento de la casa? El viejo tren de pensamientos amargos se pone en marcha una vez más. Es un murmullo y una vibración de emoción dolorosa. Y luego, deslizándose por completo, se refugia en el pensamiento y le proporciona a Hartley “en resumen, la suma de todas mis lecturas y reflexiones sobre la vasta Rueda de la Mitología del paganismo más antiguo y puro”. Hartley debe alimentarse de eso y tomar un refrigerio de carne fría y encurtidos en alguna posada.

La escritura de cartas era, en cierto modo, un sustituto del opio. En sus cartas persuadía a los demás para que creyeran aquello que él mismo no se creía del todo, que en realidad había escrito los folios, los cuartos y octavos. Las cartas también lo aliviaron de esas ideas perpetuamente pululantes que, como los sapos de Surinam, como decía, siempre estaban pariendo sapos pequeños que "crecen rápido y desvían la atención de la madre sapo". En las cartas, los pensamientos no necesitan llevarse a una conclusión. Siempre había alguien que interrumpía, y entonces tiraba la pluma y se entregaba a lo que, después de todo, era mejor que escribir: la "inseminación" de ideas sin la intermediación de ningún impedimento grosero por medio del boca a boca en el receptivo, el aquiescente, el oído enteramente pasivo, digamos, del señor Green, que llegaba puntualmente a las tres. Más tarde, si era jueves, entraban políticos, economistas, músicos, hombres de negocios, bellas damas, niños, no importaba quiénes fueran, siempre que él pudiera hablar y ellos escucharan.

Dos devotos editores estadounidenses, Richard W. Armour y Raymond F. Howes, han recopilado los comentarios de esta diversa compañía y son, obviamente, diversos. Sin embargo, es la única forma de llegar a la verdad: hacer que muchos espejos se rompan en añicos y así seleccionar. La verdad sobre Coleridge "El hablador" parece haber sido que llevó a algunos oyentes al séptimo cielo; aburrió a otros hasta la extenuación; e hizo que una niña tonta se riera irrefrenablemente. Lo mismo ocurría con sus ojos, marrones para algunos, o grises, o de un azul muy brillante, para otros. Sin embargo, hay un punto en el que todos los que lo escucharon están de acuerdo; ninguno de ellos era capaz de recordar una sola palabra de lo que dijo. Sin embargo, todos, con asombrosa unanimidad, están de acuerdo en que era "como": las olas del océano, el fluir de un río poderoso, el esplendor de la aurora boreal, el resplandor de la Vía Láctea. Casi todos están igualmente de acuerdo en que las olas, el río, la aurora boreal y la Vía Láctea carecían, como dijo lacónicamente Lady Jerningham, "de un detrás". Por lo que dicen está claro que evitó la contradicción; personalidad detestable; no le importaba nada quién eras; solo necesitaba el sonido de la respiración o de un crujir de faldas para poner en movimiento sus pensamientos soñadores y encender el brillo y la magia que yacían hundidos en la carne aletargada.

¿Era la mezcla de cuerpo y mente en su charla lo que desprendía un humo hipnótico que adormecía a la audiencia? Actuaba como hablaba; si sentía decaer el interés, señalaba un cuadro, o acariciaba a un niño, y luego, cuando se acercaba la hora de despedirse, tomaba majestuosamente un candelabro de alcoba y, aún discursando, desaparecía. Jugando así con los demás con el gesto y la voz, la frente y los ojos brillantes, nadie, como observa Crabb Robinson, podía tomar nota. Es entonces en sus cartas donde se suprimió el cuerpo del actor, donde tenemos el mejor registro del canto de sirena. Allí escuchamos la voz que comenzó a hablar a la edad de dos años; "Nasty Doctor Young" fueron sus primeras palabras; y siguió en cuarteles, a bordo de barcos, en púlpitos, en diligencias —no importaba dónde se encontrara o con quién, ya fuera Keats o el hijo del panadero—, siguió, habló y habló sobre ruiseñores, sueños, la voluntad, la volición, la razón, el entendimiento, monstruos y sirenas, hasta que una niña, vencida por la magia del encantamiento, rompió a llorar cuando la voz cesó, sola en un mundo silencioso.

Cuando la voz se detuvo solo media hora antes de pasar al silencio eterno ese día de julio de 1834, nosotros también nos sentimos despojados. ¿Han sido horas o han sido años los que este hombre corpulento quieto en la verja ha estado pronunciando este apasionado soliloquio, mientras sus "grandes ojos suaves con peculiar expresión de neblina o ensoñación mezclada en su luz" han estado fijos en la distancia lejana y llenado unas poquísimas páginas de poemas en los que cada palabra es exacta y cada imagen tan clara como el cristal?

Sara Coleridge

Coleridge también dejó hijos de su sangre. Una, su hija Sara, era una continuación de él; no de su carne propiamente dicha, pues era diminuta y etérea, sino de su mente, de su temperamento. Sus cuarenta y ocho años los vivió a la luz de su ocaso, de modo que, como otros hijos de grandes hombres, aparece como una figura moteada que revolotea entre un resplandor desvanecido y la luz de todos los días. Como muchas de las obras de su padre, Sara Coleridge permanece inconclusa. Leslie Griggs ha escrito su vida, exhaustivamente, con simpatía; pero aún así... Hay puntos suspensivos. Ese fragmento sumamente interesante, su autobiografía, termina con tres filas de puntos después de veintiséis páginas. Tenía la intención, dice, de terminar cada sección con una moraleja o una reflexión. Y luego, "al repasar mi primera infancia encuentro el reflejo predominante..." Ahí se detiene. No obstante, dijo muchas cosas en esas veintiséis páginas, y Griggs ha agregado otras que nos tientan a completar los puntos, aunque no con los hechos que ella podría habernos dado.

“Envíame la sensación misma de su dulce carne, la apariencia y el movimiento de esa boca –Oh, podría volverme loco por ella”, escribió Coleridge cuando su hija era un bebé. Era una niña encantadora, delicada, de ojos grandes, meditabunda pero activa, muy quieta pero siempre en movimiento, como los poemas de su padre. Recordaba cómo su padre, de niña, la llevó a vivir con los Wordsworth en Allan Bank.

La dura vida de la granja le desagradaba y, para su vergüenza, la bañaban en una habitación por la que entraban y salían hombres. Vestida, con delicadeza, con encaje y muselina, porque a su padre le gustaba el blanco para las niñas, contrastaba con Dora, con sus ojos desorbitados, su cabello amarillo flotante y su vestido de un profundo azul de Prusia o púrpura, porque a Wordsworth le gustaba que la ropa fuera de color. La visita estuvo llena de tales contrastes y conflictos. Su padre la amaba y la acariciaba. “Me tumbaba en su cama y me contaba cuentos de hadas cuando se acostaba a las doce o a la una...” Entonces llegaba su madre, la señora Coleridge, y Sara volaba hacia esa mujer honesta, hogareña, maternal, y “deseaba no separarse nunca de ella”. Ante eso —aún el recuerdo era amargo—, “mi padre mostró disgusto y me acusó de falta de afecto, de afecto por él... Me escabullí y me escondí en el bosque detrás de la casa”.

Fue su padre quien, cuando ella yacía despierta aterrorizada por la visión de un caballo con ojos llameantes, le dio una vela. Él también había tenido miedo a la oscuridad. Con la vela, a su lado, perdió el miedo y se quedó despierta, escuchando el sonido del río, el golpe del martillo de la fragua y los gritos de los animales extraviados en los campos. Los ruidos la persiguieron toda la vida. No había campo, ni jardín, ni casa jamás comparada con Fells y el césped y la habitación con tres ventanas que daban al lago y a las montañas. Se sentó allí mientras su padre, Wordsworth y De Quincey paseaban de un lado a otro hablando. No podía entender lo que decían, pero "solía notar el pañuelo que colgaba del bolsillo y deseaba agarrarlo". Cuando era niña el pañuelo desapareció y su padre con él. Después de eso, "nunca viví con él más de unas pocas semanas seguidas", escribió. Para él siempre hubo una habitación en Greta Hall lista, pero nunca fue. Entonces, los hermanos, Hartley y Derwent, también desaparecieron; y la señora Coleridge y Sara se quedaron con el tío Southey, sintiendo su dependencia y resintiéndose. "Una casa de esclavitud fue Greta Hall para ella", escribió Hartley. Sin embargo, allí estaba la biblioteca del tío Southey; y gracias a ese hombre admirable, erudito e infatigable, Sara logró dominar seis idiomas, tradujo a Dobritzhoffer del latín para ayudar a pagar la educación de Hartley, y se capacitó, por si llegaba lo peor, para ganarse la vida. "Si fuera necesario", escribió Wordsworth, "estará bien equipada para convertirse en institutriz en la familia de un noble o un caballero... Es notablemente inteligente."

Fue su belleza lo que sorprendió a su padre cuando, por fin, a la edad de veinte años, lo visitó en Highgate. Ella sabía que él lo sabía, y estaba orgulloso de ello; pero no estaba preparado, dice Griggs, "para la deslumbrante visión de la belleza que cruzó el umbral un frío día de diciembre". La gente se levantó al verla entrar. "He visto a la señorita Coleridge", escribió Lamb, "y desearía tener una hija así". ¿Coleridge deseaba quedarse con una hija así? ¿Se despertaron los celos de padre en ese hombre sin voluntad y de susceptibilidad desmesurada cuando Sara conoció a su primo Henry en Highgate y casi al instante, pero en secreto, le dio su collar de coral a cambio de un anillo con su cabello? ¿Qué derecho tenía un padre que no podía ofrecer a su hija ni siquiera una habitación de que le informaran del compromiso u objetarlo?

Se estremecía con innumerables sensaciones contradictorias al pensar que su sobrino, cuyo libro sobre las Indias Occidentales lo había impresionado desfavorablemente, le estaba quitando a la hija que, como Christabel, era su obra maestra, pero, al igual que Christabel, estaba inacabada. Todo lo que podía hacer era lanzar su hechizo mágico. Habló. Por primera vez desde que era mujer, Sara lo escuchó hablar. No pudo recordar una palabra después. "En parte, mi padre generalmente disertaba a una escala tan extensa... Henry, a veces, podía reconducirlo por temas más delimitados, pero cuando estaba solo conmigo, casi siempre estaba en el camino pavimentado de estrellas, abarcando todo el cielo en sus ojos."

También era ella una perseguidora del cielo; pero en ese momento "estaba preocupada por mis hermanos y sus perspectivas, por la salud de Henry y por el tema de mi compromiso, en general". Su padre ignoraba esas cosas. La mente de Sara divagó.

La joven pareja, sin embargo, se recuperó con creces de las primeras desatenciones, y escucharon la voz durante el resto de sus vidas. En el bautizo de su primer hijo, Coleridge habló durante seis horas sin parar. Por muy trabajador que fuera Henry, y delicado, sociable y amante de los placeres, el hechizo del Tío Sam estaba sobre él, y mientras vivió ayudó a su esposa. Anotó y editó lo que recordaba de la maravillosa voz. Pero el trabajo principal recayó en Sara. Se convirtió, dijo, en el ama de llaves de ese palacio lleno de basura. Ella siguió su lectura; verificó sus citas; defendió su carácter; notas calcadas en innumerables márgenes; fardos saqueados; reconstruyó comienzos y les proporcionó no fines, sino continuaciones. El trabajo de un día entero tendría como resultado un borrado. El dinero gastado en taxis a las oficinas del periódico aumentaron; los ojos, porque no podía permitirse una secretaria, sintieron la tensión; pero mientras una página permaneciera oscura, una fecha dudosa, una referencia no verificada, una calumnia no refutada, "la pobre, querida e infatigable Sara", como la llamaba la Sra. Wordsworth, trabajaba. Y gran parte de su trabajo se hizo de forma duradera; los editores aún se apoyan sobre los cimientos que ella asentó.

Esta tarea no la hizo por puro sacrificio, sino por autorrealizarse. Encontró a su padre, en aquellas páginas borrosas, como no lo había conocido en carne y hueso; y descubrió que él era ella misma. Ella no lo copiaba, insistía; ella era él. A menudo continuaba con sus pensamientos como si hubieran sido los suyos propios. ¿Acaso no tenía los mismos andares que él, que se movía levemente de un lado a otro? Sin embargo, aunque pasó la mitad de su tiempo reflejando ese resplandor desaparecido, la otra mitad la pasó a la luz del día común, en Chester Place, Regents Park.

Nacían niños y morían niños. Su salud se deterioró; tenía como legado los nervios de su padre; y, como su padre, tenía necesidad de opio. Con patetismo, deseaba "un respiro de tres años sin tener hijos". Pero lo deseaba en vano. Entonces Henry, cuya alegría tantas veces la había sacado del oscuro abismo, murió joven; dejando sus notas sin terminar, y dos niños también, y muy poco dinero, y muchos apartamentos en la gran casa del Tío Sam aún sin barrer.

Siguió trabajando. En su desolación encontró el consuelo, como si fuera su opio. "Las cosas de la mente y del intelecto me dan un placer intenso; me deleitan y me divierten tal como son en sí mismas... y a veces pienso, el resultado ha sido demasiado grande, la cosecha demasiado abundante en cuanto a satisfacción interior. Esto es peligroso..." Los pensamientos proliferaron. Al igual que su padre, tenía un sapo de Surinam en la cabeza que criaba a otros sapos. Pero los de él tenían joyas, mientras que los de ella eran sencillos.

Se sentía difusa, incapaz de terminar, y sin la magia que ocupa el lugar de una conclusión. Le hubiera gustado, si hubiera podido llegar a un fin, haber escrito sobre metafísica, sobre teología, o algún libro de crítica. De repente, la política le interesaba mucho, o las fotografías de Turner. Pero, "cualquiera que sea el tema que empiezo, siento incomodidad a menos que pueda seguirlo en todas las direcciones hasta los límites más lejanos del pensamiento... Esta fue la razón por la que mi padre escribió a retazos. No podía soportar terminar de manera incompleta". Entonces, con el libro en la mano, la pluma suspendida, los grandes ojos llenos de una neblina soñadora, reflexionó: "recoger flores, encontrar nidos y explorar algún rincón en particular, como solía hacer cuando era niña y paseaba con mi tío Southey..."

Entonces, sus hijos irrumpieron. Con su hijo, el brillante Herbert, leyó directamente a los clásicos. ¿No había, objetó el juez Coleridge, pasajes de Aristófanes que sería mejor saltarse? Quizá... Aun así, Herbert se llevó todos los premios, ganó todas las becas, la distrajo con su trompeta y, al igual que su padre, amaba las fiestas. Sara fue a los bailes y lo vio bailar vals tras vals. Se ponía la hermosa ropa vieja que Henry le había dado para su hija, Edith. Una vez cenó dos veces, estaba tan aburrida.

Prefería las cenas en las que se las veía con Macaulay, que se parecía mucho a su padre en el rostro, y con Carlyle: "Un precioso Archicharlatán", lo llamaba. Los jóvenes poetas, como Aubrey de Vere, la buscaban. Era ella una de esas, decía, "cuyos pensamientos crecen mientras hablan". Después de irse, sus pensamientos siguieron, en largas, largas cartas, divagando sobre el bautismo, las regeneraciones, la metafísica, la teología y la poesía, pasadas, presentes y futuras. Como crítica, nunca, como su padre, rozó caminos de luz; ella era un fertilizante, no una creadora, una lectora que excavaba túneles como un topo mientras leía a través de Dante, Virgilio, Aristófanes, Crashaw,

Jane Austen, Crabbe, para emerger de repente, sin miedo, en el mismo rostro de Keats y Shelley. "De buena gana quisieran mis ojos", escribió, "discernir el Futuro en el pasado".

Pasado, presente y futuro la salpicaron con una luz extraña. Estaba mezclada en sí misma, todavía dividida, como en el bosque de detrás de la casa, entre dos lealtades: el padre que le contaba cuentos de hadas en la cama, y la madre, a la que llamaba Frettikins, a la que se aferraba en carne y hueso. "Querida madre", exclamó, "qué mujer honesta, sencilla, vivaz y afectuosa era ella, qué libre de disfraces o artificios..." Vaya, incluso su peluca —se había cortado el pelo cuando era niña— era tan seca y áspera, y sin brillo como un rastrojo, y tan corta y apelmazada". La peluca y la frente: entendía. Si se hubiera saltado la moraleja, podría habernos dicho mucho sobre ese extraño matrimonio.

Tenía la intención de escribir su vida. Pero esta fue interrumpida. Le hallaron un bulto en el pecho. El Sr. Gilman, cuando le consultaron, detectó cáncer. Sara no quería morir.

No había terminado de editar las obras de su padre, no había escrito las suyas propias, porque no le gustaba dejarlas de manera incompleta. Pero murió a los cuarenta y ocho años, dejando, como su padre, una página en blanco cubierta de puntos y dos líneas:

Padre, nunca los amarantos coronarán mi frente—
Basta que alrededor de tu tumba florezcan ahora.

Contenidos

El arte de la biografía 9
No uno de los nuestros 29
El hombre en la verja 45
Sara Coleridge 57